Eugène Davoust

Une famille
bien
française

Librairie Hachette
79, boulevard Saint-Germain, Paris VIᵉ

CARTE D'IDENTITÉ

Titre	Une famille bien française.
Auteur	Eugène Davoust.
Série	Dialogue et Théâtre.
Âge des lecteurs	11 à 16 ans.
Nombre de mots	Environ 1 300.

ISBN 2-01-00073-0

© *Librairie Hachette, 1970.*

Préface

Tous les Français ne s'appellent pas Dupont, et toutes les familles françaises ne ressemblent pas exactement à cette famille Dupont que nous vous présentons.

Pourtant, la famille Dupont est une famille bien française, c'est-à-dire une famille comme les autres : tous les matins, M. Dupont part pour son bureau et les trois enfants vont au lycée; Mme Dupont s'occupe de la maison, du ménage, des vêtements, de la cuisine. Le soir, tout le monde se retrouve autour de la table familiale.

M. Dupont est le chef de famille, il prend les grandes décisions en accord avec sa femme, et les enfants obéissent. Bien sûr, il y a parfois des discussions, tout le monde ne peut pas être du même avis, sur la question des vacances, par exemple, ou sur le choix de la route que l'on suivra pour aller de Paris à Nice. Alors, Mme Dupont intervient, avec son sourire, sa gentillesse et sa diplomatie, et tout finit par s'arranger.

Oui, tout s'arrange, chez les Dupont, que ce soit à la maison, à Paris, ou dans la villa en location, près de Nice. Tout s'arrange, on rit, on chante, on s'entend bien malgré les différences de caractère, parce que, dans la famille Dupont, comme dans toutes les familles françaises, comme dans toutes les familles du monde, au fond, on s'aime bien.

1
Soirée familiale

A Paris, dans l'appartement des Dupont. Il est sept heures moins le quart, les enfants vont bientôt rentrer de l'école. La femme de ménage, Mme Barrault, est à la cuisine en train de préparer le dîner.
On sonne à la porte, Mme Barrault va ouvrir.

PAUL

Bonsoir, Mme Barrault.

Mme BARRAULT

Bonsoir, M. Paul.

PAUL

Oh, ça sent bon, votre cuisine, Mme Barrault. Qu'est-ce qu'on mange ce soir?

Mme BARRAULT

Une poule au riz.

PAUL

Oh, merci, Mme Barrault, j'aime beaucoup la poule au riz! Dites, Mme Barrault, maman est là?

Mme BARRAULT

Oui, elle est dans sa chambre.

Paul entre dans la chambre de Mme Dupont.

PAUL

Bonjour, maman.

Mme DUPONT

Bonjour, Paul, ça va?

PAUL

Oui, maman.

Mᴍᴇ DUPONT

Et au lycée, ça va? Tu as eu de bonnes notes[*][1]?

PAUL

Oui, assez bonnes, un 12 en histoire et un 14 en mathématiques[*]. Qu'est-ce que tu fais, maman?

Mᴍᴇ DUPONT

Tu vois, je répare la jupe bleue de ta sœur... Tu as beaucoup de devoirs pour ce soir?

PAUL

Non, pas trop, un devoir d'histoire et un devoir de français.

Paul va dans sa chambre.
On sonne à la porte — Mme Barrault va ouvrir.

DOMINIQUE

Bonsoir, Mme Barrault.

Mᴍᴇ BARRAULT

Bonsoir, Mlle Dominique. Ça va bien?

DOMINIQUE

Oui, merci, Mme Barrault. Dites, Mme Barrault, est-ce que vous avez réparé ma jupe bleue?

Mᴍᴇ BARRAULT

Non, mademoiselle, mais votre maman est en train de le faire.

DOMINIQUE

Elle est dans sa chambre?

Mᴍᴇ BARRAULT

Oui, mademoiselle, elle est dans sa chambre.

Dominique entre dans la chambre de Mme Dupont.

DOMINIQUE

Bonsoir, maman.

1. Vous trouverez l'explication des mots accompagnés du signe [*] aux pages 80-83.

Mme DUPONT

Bonsoir, Dominique.

DOMINIQUE

Dis, maman, qu'est-ce qu'on a pour le dîner?

Mme DUPONT

Pour le dîner, vous aurez une poule au riz.

DOMINIQUE

Ah!

Mme DUPONT

Tu n'aimes pas la poule au riz?

DOMINIQUE

Si.

Mme DUPONT

Tiens, ta jupe est prête... Tu peux la mettre dans ton armoire.

DOMINIQUE

Merci, maman, tu es bien gentille...

Dominique va dans sa chambre, met sa jupe dans son armoire, puis elle prend sa guitare* et commence à jouer.

Mme DUPONT

Dominique!

Dominique s'arrête de jouer.

DOMINIQUE

Oui, maman?

Mme DUPONT

Quand tu joues de la guitare, ferme la porte de ta chambre, s'il te plaît.

DOMINIQUE

Oui, maman, excuse-moi.

Elle ferme la porte de sa chambre.
On sonne à la porte — Mme Barrault va ouvrir.

JACQUES

Bonsoir, Mme Barrault.

Mme BARRAULT

Bonsoir, M. Jacques.

JACQUES

Qu'est-ce que ça sent, Mme Barrault? Vous faites du bœuf bouilli?

Mme BARRAULT

Non, ce n'est pas du bœuf bouilli, c'est de la poule au riz.

JACQUES

Ah! je n'aime pas beaucoup ça! Et pour le dessert, Mme Barrault? Qu'est-ce qu'il y a pour le dessert?

Mme BARRAULT

De la crème au chocolat*.

JACQUES

Ah, merci, Mme Barrault! *(Il crie.)* Vive Mme Barrault! vive la crème au chocolat!

Jacques entre dans la chambre de Mme Dupont.

Mme DUPONT

Qui est-ce qui crie comme ça? C'est toi, Jacques?

JACQUES

Oui, maman. Bonsoir, maman.

Mme DUPONT

Bonsoir, Jacques. Pourquoi cries-tu comme ça?

JACQUES

Je suis content, il y a de la crème au chocolat! J'aime beaucoup ça.

Mme DUPONT

Oui, mais il y a aussi de la poule au riz!

JACQUES

Oui, je sais.

Mme DUPONT

Tu auras de la crème au chocolat si tu manges de la poule au riz.

JACQUES

Oh, un tout petit peu seulement... Dis, maman, tu peux coudre un bouton à ma veste, s'il te plaît?

Mme DUPONT

Tu as de la chance, je viens de réparer la jupe de ta sœur. Donne-moi ta veste...

JACQUES

Merci, maman, tu es gentille.

Mme DUPONT

Et à l'école, ça va, tu es content?

JACQUES

Tu sais, le professeur d'histoire est devenu fou.

Mme DUPONT

Jacques!

JACQUES

Mais, maman, ce professeur nous a donné 200 pages à lire, pour la semaine prochaine, tu te rends compte!

On sonne à la porte — Mme Barrault va ouvrir.

M. DUPONT

Bonsoir, Mme Barrault.

Mme BARRAULT

Bonsoir, M. Dupont.

M. DUPONT

Ça va bien, Mme Barrault?

Mme BARRAULT

Oui, ça va, merci, monsieur.

M. DUPONT

Oh, ça sent bon. Qu'est-ce que vous faites pour le dîner?

9

Mme BARRAULT

Une poule au riz.

M. DUPONT

Très bien... Pas trop cuit, le riz, s'il vous plaît, Mme Barrault!

Mme BARRAULT

Oui, monsieur, pas trop cuit...

M. DUPONT

Tout le monde est là?

Mme BARRAULT

Oui, monsieur...

M. DUPONT

Madame est dans sa chambre?

Mme BARRAULT

Oui, monsieur, elle est dans sa chambre.

M. Dupont entre dans la chambre de sa femme.

M. DUPONT

Bonsoir, ma chérie.

Mme DUPONT

Bonsoir, Daniel, ça va? Tu n'es pas trop fatigué?

M. DUPONT

Non, ça va, merci. Et toi, tu es en train de coudre?

Mme DUPONT

Oui, je couds un bouton à la veste de Jacques.

On frappe à la porte.

Mme DUPONT

Entrez!

Mme BARRAULT

Le dîner est prêt. Je peux servir, madame?

Mme DUPONT

Oui, Mme Barrault, vous pouvez servir. Appelez les enfants.

Quelques minutes plus tard, tous les Dupont sont assis autour de la table de la salle à manger. C'est M. Dupont qui sert les enfants.

M. DUPONT

Paul, je te sers de la poule au riz?

PAUL

Oh, oui, papa.

M. DUPONT

Comme ça, ça va?

PAUL

Encore un peu, s'il te plaît. Merci, papa.

M. DUPONT

Ah, oui, c'est vrai, tu aimes bien la poule au riz. Et toi, Dominique?

11

DOMINIQUE

Pas trop, s'il te plaît! Comme ça, merci, papa.

M. DUPONT

Alors, Jacques, tu donnes ton assiette, s'il te plaît.

JACQUES

Pas de poule, seulement du riz.

MME DUPONT

Non, mon garçon, si tu veux de la crème au chocolat, tu dois manger de la poule au riz. Daniel, donne-lui un peu de poule, veux-tu?

JACQUES

Oh, un petit peu, s'il te plaît, un tout petit peu. Comme ça! Assez!

M. DUPONT

Comment?

JACQUES

Oh, pardon, je veux dire : merci, papa.

A la cuisine, Mme Barrault se prépare à partir. Elle a terminé sa journée. Avant de s'en aller, elle passe par la salle à manger.

MME BARRAULT

Tout va bien? Le riz est bon?

TOUS

Oui, Mme Barrault. Il est très bon, votre riz, Mme Barrault.

MME BARRAULT

Alors, bonsoir, Messieurs-dames, bon appétit*!

TOUS

Merci, Mme Barrault.

Mme Barrault s'en va.

M. DUPONT

Son riz est un peu trop cuit.

Mme DUPONT

Mme Barrault et le riz, ça fait deux.

PAUL

Ce n'est pas du riz, c'est de la colle d'affiches*.

JACQUES

Et puis, je n'aime pas la poule au riz.

DOMINIQUE

On sait que Jacques n'aime que la crème au chocolat!

JACQUES

Ça va, toi, on ne te demande pas ton avis.

DOMINIQUE

Et à toi non plus.

M. DUPONT

Allons, mes enfants, soyez gentils, s'il vous plaît.

DOMINIQUE

Ah, papa! tu as eu un 5 sur 20 à ton devoir de mathématiques.

M. DUPONT

Comment, *mon* devoir de mathématiques?

DOMINIQUE

Oui, tu sais, tu m'as aidée pour un devoir de mathématiques, l'autre jour.

M. DUPONT

Oui, et alors?

DOMINIQUE

Alors, le professeur a mis un 5 sur 20; tu t'es trompé, la réponse est fausse.

JACQUES

Oh, papa, 5 sur 20, mais ce n'est pas bien du tout.

PAUL

Pour un ingénieur, tu n'es pas fort en mathématiques...

M. DUPONT

Bon, eh bien, mes enfants, puisque je ne suis pas assez

fort, je ne vous aide plus à faire vos devoirs de mathématiques.

TOUS

Oh, non, papa, tu es très fort en mathématiques, toi, tu es ingénieur, c'est le professeur qui ne comprend rien.

Quand on a dîné, il faut faire la vaisselle*. Chacun a son jour de service. A la fin du dîner, Mme Dupont pose une question importante :

Mme DUPONT

Qui est de service ce soir, pour la vaisselle?

JACQUES ET PAUL

C'est Dominique, c'est Dominique!

DOMINIQUE

Oh, ça va, on sait que c'est moi.

M. DUPONT

Allons, mes enfants, soyez gentils!

Les enfants enlèvent les verres, les assiettes et les fourchettes, les cuillers, les couteaux, etc. Dominique reste seule à la cuisine. Paul arrive.

PAUL

Dominique?

DOMINIQUE

Oui, qu'est-ce que tu veux?

PAUL

Est-ce que tu veux m'aider pour mon devoir d'anglais, s'il te plaît?

DOMINIQUE

Je n'ai pas le temps.

PAUL

Oh, Dominique, sois gentille, aide-moi.

DOMINIQUE

Je veux bien, mais à une condition : tu fais la vaisselle à ma place.

14

PAUL

D'accord, je fais la vaisselle à ta place. Tiens, regarde mon devoir, c'est ici, à la page 15.

DOMINIQUE

Ah! non, mon vieux, tu fais d'abord la vaisselle, et ensuite, je t'aide pour ton devoir d'anglais.

PAUL

Pourquoi?

DOMINIQUE

Je te connais, mon ami, si je t'aide pour ton devoir maintenant, tu vas oublier la vaisselle. Alors, commence par faire la vaisselle. Au revoir!

Dominique sort. Paul fait la vaisselle. Jacques arrive.

JACQUES

C'est toi qui fais la vaisselle? Ce n'est pas Dominique?

PAUL

C'était Dominique, mais je la remplace.

JACQUES

Dis, Paul, il y a un match de football*, tout à l'heure, à la radio.

PAUL

Ah oui?

JACQUES

Je veux écouter le reportage du match, tu peux me prêter ton transistor*?

PAUL

Écoute, je veux bien te prêter mon transistor, mais à une condition : tu fais la vaisselle à ma place.

JACQUES

Mais le match? Je veux écouter le match.

PAUL

Tu as bien le temps de faire la vaisselle avant. Tu

verras, ce n'est pas bien long. Tiens, voilà le tablier.
Bon courage!

Paul sort — M. Dupont arrive.

M. DUPONT

C'est toi qui fais la vaisselle, Jacques? Ce n'est pas
Dominique?

JACQUES

C'était Dominique, mais Paul a remplacé Dominique, et
moi, je remplace Paul.

M. DUPONT

Dis, Jacques, est-ce que tu veux aller m'acheter un
paquet de cigarettes?

JACQUES

Mais bien sûr, tout de suite, papa... Dis, papa, est-ce
que tu veux bien faire la vaisselle à ma place pendant
que je vais acheter tes cigarettes?

M. DUPONT

Je veux bien, mais dépêche-toi.

JACQUES

Je cours, papa, je cours, je reviens tout de suite...
Tiens, voilà le tablier. Bon courage!

Le téléphone sonne.

MME DUPONT

Daniel! téléphone! M. Duval veut te parler!

M. DUPONT

Je ne peux pas aller au téléphone, tu vois, je suis occupé.

MME DUPONT

Dépêche-toi, il attend...

M. DUPONT

Je veux bien aller au téléphone, mais à une condition...

Mme DUPONT

Oui, je sais, donne-moi le tablier...

M. DUPONT

Merci.

M. Dupont sort. Mme Dupont fait la vaisselle. Dominique arrive.

DOMINIQUE

Comment, maman, tu fais la vaisselle?

Mme DUPONT

Oui, je remplace ton père. Tu vois, on s'arrange dans la famille.

DOMINIQUE

Pauvre maman! Donne-moi le tablier, c'est mon jour de service, laisse-moi la place.

Mme DUPONT

Ah! tu es gentille! Merci.

Tout s'arrange chez les Dupont : Dominique a retrouvé sa vaisselle; M. Dupont a téléphoné à M. Duval; Jacques a acheté un paquet de cigarettes pour son père; il a écouté le match sur le transistor de Paul, et Dominique a aidé Paul à faire son devoir d'anglais. C'est une vraie soirée familiale.

2
Famille et démocratie*

Huit heures et demie, un lundi matin. Les enfants sont partis pour l'école. M. Dupont est encore dans la salle de bains. Il se rase. Mme Dupont est à la cuisine. Elle prépare le café pour son mari. Elle regarde l'heure.

Mme DUPONT *(de la cuisine)*

Il est huit heures et demie.

M. DUPONT *(de la salle de bains)*

Qu'est-ce que tu dis?

Mme DUPONT

Je dis qu'il est huit heures et demie.

M. DUPONT *(qui arrive)*

Comment, huit heures et demie? Mais je vais être en retard.

Mme DUPONT

Justement!

M. DUPONT

Huit heures et demie et tu ne me dis rien!

Mme DUPONT

Je viens de te dire qu'il est huit heures et demie.

M. DUPONT

Bon, bon, j'arrive. Le café est prêt?

Mme DUPONT

Mais oui, mon chéri.

M. DUPONT

J'arrive tout de suite.

M. Dupont retourne à la salle de bains. Il a bientôt fini de se raser. Il met un peu d'eau de Cologne. On entend Mme Dupont qui chante.

M. Dupont entre dans la salle à manger.

M. DUPONT

Eh bien, ça va. Tu chantes?

Mme DUPONT

Oui, je pense aux vacances.

M. DUPONT

Aux vacances? Mais nous sommes en avril, nous avons encore quatre mois.

Mme DUPONT

Trois.

M. DUPONT

Comment?

Mme DUPONT

Oui, trois mois : avril, mai, juin...

M. DUPONT

Bon, si tu veux... Oh, ce café est trop chaud!

Mme DUPONT

Tu veux du lait froid?

M. DUPONT

Non, pas de lait, merci.

Mme DUPONT

Tu pourrais peut-être téléphoner à une agence*?

M. DUPONT

Pourquoi?

Mme DUPONT

Mais pour les vacances, il est temps de penser à louer une villa*.

M. DUPONT

Voyons, Mimi, je ne vais pas téléphoner trois mois à l'avance. Nous sommes en avril.

Mme DUPONT

Je voudrais une petite villa...

M. DUPONT

... au bord de la mer...

Mme DUPONT

...pas trop loin de la plage*...

M. DUPONT

... avec un jardin...

Mme DUPONT

... des arbres...

M. DUPONT

... et des fleurs... C'est ça, bien sûr, ma chérie...

Mme DUPONT

Alors, tu téléphones à l'agence?

M. DUPONT

Mais non, voyons, je vais au bureau.

Mme DUPONT

Tu peux téléphoner du bureau.

M. DUPONT

Téléphoner du bureau, pendant les heures de travail, pour une affaire personnelle? Voyons, ma chérie, c'est impossible.

Mme DUPONT

Bon, alors, tu téléphoneras ce soir, à la maison...

M. DUPONT

C'est ça. Au revoir, ma chérie...

Au revoir, Daniel.

M. Dupont arrive à son bureau. Il frappe à la porte de son collègue*, M. Lagrange.

M. LAGRANGE

Entrez.

M. Lagrange téléphone.

M. LAGRANGE

(Au téléphone.) Une villa, au bord de la mer... *(À M. Dupont.)* — Excusez-moi, asseyez-vous — *(Au téléphone.)* Pas trop loin de la plage... avec un jardin... M. Lagrange... appelez le numéro 763-98-56, poste 45... oui, aux heures de bureau... Merci, mademoiselle...

Il raccroche*.

Excusez-moi, mon cher, j'étais en train de téléphoner à une agence...

M. DUPONT

Une agence?

M. LAGRANGE

Oui, dans trois mois, nous sommes en vacances; il est temps de penser à louer une villa.

M. DUPONT

Vous avez raison. Ce matin, justement, je disais à ma femme...

M. LAGRANGE

Vous avez déjà loué quelque chose?

M. DUPONT

Pas encore, mais ce matin, je discutais la question avec ma femme...

M. LAGRANGE

Et vous avez décidé de louer une villa au bord de la mer...

M. DUPONT

... pas trop loin de la plage...

M. LAGRANGE

... avec un jardin...

M. DUPONT

... des arbres...

M. LAGRANGE

... et des fleurs...

M. DUPONT

... justement, mais je ne viens pas pour vous parler des vacances, je viens pour discuter avec vous de l'affaire Duval, vous savez, les machines que nous avons vendues l'an dernier...

> *M. Dupont discute avec son collègue de l'affaire Duval. Quand il retourne à son bureau, il prend l'annuaire* du téléphone... Lettre A... Agences de location*...*

M. DUPONT *(cherche dans l'annuaire)*

Voyons, Agence Michel... Ah, voilà... *(Il appelle le numéro de l'agence.)* Allô, l'Agence Michel? Bonjour, mademoiselle. C'est pour une location... Comment? Septembre? Mais non, mademoiselle. Pour juillet et août... Ah? C'est difficile?... Mais, mademoiselle, je vous téléphone trois mois à l'avance... Si vous pouvez trouver quelque chose... Oui, au bord de la mer... pas trop loin de la plage... une villa avec un jardin... M. Dupont... Vous pouvez téléphoner au 763-98-56, aux heures de bureau. Poste 46. Merci, mademoiselle, au revoir, mademoiselle.

Nous sommes à la fin de la journée. Chez les Dupont,
la femme de ménage, Mme Barrault, prépare le dîner.
Dans sa chambre, Mme Dupont écoute la radio.

LE SPEAKER

« ...Vous avez entendu " Pour Élise ", de Beethoven,
voici maintenant " Votre vie de famille, un conseil par
jour ", par Catherine Dufoyer. »

C. DUFOYER

« Chers amis, bonsoir. Je vais vous parler aujourd'hui
de vos vacances... »

MME DUPONT

Bonne idée...

C. DUFOYER

« Vous voulez passer de bonnes vacances? Préparez
vos vacances... »

Téléphonez à une agence...

C. DUFOYER

« Téléphonez à une agence, bien sûr. Mais il faut préparer les vacances en famille. Ce soir, autour de la table familiale, discutez, en famille, de vos vacances. Prenez une carte de France, regardez notre beau pays, voyez toutes les régions, la montagne, la campagne, le bord de la mer. Choisissez le lieu de vos vacances, mais choisissez en famille. Parents qui m'écoutez, ne soyez pas des parents dictateurs*, soyez des parents démocrates*, des parents nouvelle vague*, discutez avec vos enfants de la question des vacances, demandez leur avis, préparez en famille des vacances familiales. »

LE SPEAKER

« C'était " Un conseil par jour ", par Catherine Dufoyer. Voici maintenant... »

On sonne. Mme Barrault va ouvrir.

Mme BARRAULT

Bonsoir, M. Dupont.

M. DUPONT

Bonsoir, Mme Barrault.

Il entre dans la chambre de Mme Dupont.

Mme DUPONT

Bonsoir, Daniel. Tu n'es pas trop fatigué?

M. DUPONT

Non, ça va. Ah, tu vas être contente, j'ai téléphoné à une agence de location.

Mme DUPONT

Oui, c'est bien, mais, tu sais, il faut penser à préparer les vacances...

M. DUPONT

Eh bien, j'ai préparé les vacances, puisque j'ai téléphoné à l'agence.

MME DUPONT

Tu sais, il faut préparer les vacances en famille.

M. DUPONT

Écoute, ma chérie, je n'ai pas besoin d'avoir toute la famille avec moi pour téléphoner.

MME DUPONT

Non, bien sûr, mais vois-tu, Daniel, nous devons discuter avec les enfants, choisir ensemble la région où nous devons passer les vacances. Il ne faut pas être des parents dictateurs.

M. DUPONT

Quoi?

MME DUPONT

Oui, nous devons être des parents nouvelle vague, des parents démocrates.

M. DUPONT

Qu'est-ce que tu racontes?

MME DUPONT

Écoute, les enfants seront beaucoup plus heureux si nous discutons avec eux de la question des vacances.

M. DUPONT

Bon, bon! Mais tu crois que les enfants ont des idées?

MME DUPONT

Eh bien, nous verrons, et réunis autour de la table familiale, nous trouverons en famille la solution des vacances familiales, dans la bonne humeur et l'harmonie.

M. DUPONT

Oh, ce n'est pas de toi...

MME DUPONT

« Vous venez d'entendre " Un conseil par jour ", par Catherine Dufoyer... »

Ah, bon! je comprends.

Allez, viens à table, le dîner est servi...

> *Après le dîner, la famille Dupont est réunie autour de la table de la salle à manger. Sur la table, il y a une grande carte de France. Les enfants sont un peu étonnés. Ils se taisent. M. Dupont commence :*

M. DUPONT

Mes enfants, nous allons discuter ce soir du problème des vacances. J'ai téléphoné à une agence pour demander une villa à louer au bord de la mer. Alors, regardez la carte de France, regardez notre beau pays, avec toutes ses régions différentes, les côtes de la mer du Nord, la Normandie, la Bretagne, la côte de l'Atlantique, la Méditerranée. Ah, c'est beau la France, mes enfants!

LES ENFANTS *(chantent)*
Allons, enfants de la patrie*, i... e...

Mme DUPONT

Soyez gentils, s'il vous plaît, les enfants!

M. DUPONT

Maintenant, vous donnez votre avis, parlez! Quelle mer préférez-vous? mer du Nord? océan Atlantique?

JACQUES

Mais, papa, pourquoi la mer? Il y a des montagnes en France.

M. DUPONT

Des montagnes?

JACQUES

Oui, les Vosges, le Jura, le Massif Central, les Pyrénées, les Alpes...

M. DUPONT

Nous irons au bord de la mer, j'ai demandé une villa au bord de la mer.

JACQUES

Alors, ce n'est pas la peine de me demander mon avis.

Mme DUPONT

Pourquoi?

JACQUES

Parce que je préfère la montagne.

PAUL

Et qu'est-ce que tu feras, à la montagne?

JACQUES

Des escalades*, je grimperai* dans les rochers*...

DOMINIQUE

Monsieur fera de l'alpinisme*!

Mme DUPONT

Un peu de silence, s'il vous plaît, les enfants! *(Les enfants se taisent.)*

M. DUPONT

Écoute, mon cher Jacques, nous sommes cinq dans la famille.

MME DUPONT

Papa a demandé une villa au bord de la mer, ne parle pas de la montagne...

JACQUES

Vous me demandez mon avis, je vous donne mon avis. Je préfère la montagne, mais vous ne voulez pas aller à la montagne, alors, ce n'est pas la peine de me demander mon avis. Bonsoir...

Il sort et ferme la porte d'un coup de pied.

M. DUPONT

Jacques...

JACQUES *(ouvre la porte)*

Oui, papa?

M. DUPONT

Tu veux fermer la porte comme il faut, s'il te plaît?

JACQUES

Oui, papa.

Il ferme la porte sans bruit.

M. DUPONT

Merci... Donc, mes enfants, nous allons au bord de la mer. Regardez la carte de notre beau pays, avec toutes ses côtes. Dominique, qu'est-ce que tu préfères? La mer du Nord? La Manche? L'océan Atlantique?

DOMINIQUE

Je préfère la Méditerranée.

MME DUPONT

Mais pourquoi?

PAUL

C'est à la mode, mademoiselle est un peu snob*.

DOMINIQUE

Idiot! je préfère la Méditerranée parce qu'il y a du soleil...

Mme DUPONT

Oui, mais, ma petite, tu oublies ton papa.

DOMINIQUE

Mais papa peut bien venir en vacances sur la Méditerranée?

M. DUPONT

Je peux venir en vacances, mais je voudrais bien venir aussi en week-end*, en juillet. Si vous êtes sur la Méditerranée, c'est trop loin, je ne veux pas passer deux nuits dans le train chaque semaine.

DOMINIQUE

Écoute, papa, on me demande mon avis, je donne mon avis. Je préfère la Méditerranée, mais si vous ne voulez pas aller sur la Méditerranée, ce n'est pas la peine de me demander mon avis... Alors, allez où vous voulez, moi, ça ne m'intéresse pas...

PAUL

Mademoiselle est en colère...

DOMINIQUE

Non, je ne suis pas en colère...

PAUL

Si, tu es en colère...

DOMINIQUE

Non, je ne suis pas en colère... Ah! et puis, j'en ai assez!

Elle se lève et ouvre la porte.

Mme DUPONT

Dominique!

DOMINIQUE

Pardon, maman, je veux dire que vous pouvez aller où vous voulez, je serai très heureuse avec vous... Bonsoir, maman, bonsoir, papa.

Elle ferme la porte.

M. DUPONT

Eh bien, c'est difficile de s'arranger... Et toi, Paul, quel est ton avis? Tu préfères la Méditerranée, toi aussi?

PAUL

Oh, moi! la mer, ça ne m'intéresse pas.

Mme DUPONT

Pourquoi?

PAUL

Moi, j'aimerais aller à la campagne.

M. DUPONT

Très bien, très bien! Je comprends ce que je dois faire : je téléphone à l'agence et je demande quatre villas, une villa à la montagne pour Jacques, une villa sur la côte de la Méditerranée pour Dominique, une villa à la campagne pour Paul et une villa au bord de la mer, pas trop loin de Paris, pour votre mère et moi... Très bien, j'ai compris.

Mme DUPONT

Et moi, je vais écrire à Catherine Dufoyer...

PAUL

Pourquoi, maman?

Mme DUPONT

Pour lui dire merci de ses bons conseils : « Autour de la table familiale, discutez en famille de vos vacances... »

M. DUPONT

« Prenez une carte de France, regardez notre beau pays, choisissez le lieu de vos vacances, mais choisissez en famille. »

« Discutez avec vos enfants, demandez leur avis... »

M. DUPONT

« Préparez en famille des vacances familiales! » Elle
est bien gentille, Catherine Dufoyer, mais elle est un
peu dans les nuages!

3
Tout s'arrange

---

*Mardi matin. Il est huit heures et quart. Les enfants
viennent de partir pour l'école. M. Dupont se rase dans
la salle de bains. Mme Dupont a préparé le café. Elle
appelle son mari.*

Mme DUPONT

Daniel, le café est prêt.

M. DUPONT *(de la salle de bains)*

Voilà, j'arrive.

M. Dupont a fini de se raser. Il se met un peu d'eau de Cologne. Il entre dans la salle à manger.

M. DUPONT

Voilà, ma chérie, je suis prêt.

Mme DUPONT

Et voilà, ton café.

M. DUPONT

Quelle heure est-il?

Mme DUPONT

Il est huit heures et quart.

M. DUPONT

Eh bien, aujourd'hui, j'ai le temps de prendre mon café tranquillement.

Mme DUPONT

Et tu as le temps de parler un peu avec moi de la question des vacances.

M. DUPONT

Les vacances! ah, non! merci! je ne parle pas des vacances.

Mme DUPONT

Mais pourquoi?

M. DUPONT

Pourquoi? Mais parce que j'ai une famille impossible, l'un veut aller à la montagne, l'autre sur la Méditerranée, le troisième à la campagne...

Mme DUPONT

Et toi, tu veux venir en week-end et tu ne veux pas faire un long voyage.

M. DUPONT

Alors, il n'y a pas de solution.

Mme DUPONT

Mais si, mon chéri, il y a une solution très simple.

M. DUPONT

Comment cela? Tu as un fils qui veut aller à la campagne...

Mme DUPONT

Allons en Bretagne, c'est le bord de la mer, mais c'est aussi la campagne, Paul sera content.

M. DUPONT

Et tu as une fille qui veut être sur la Méditerranée, au soleil.

Mme DUPONT

Allons en Bretagne. Sur l'Atlantique, il y a du soleil...

M. DUPONT

Et tu as un fils qui veut aller à la montagne.

Mme DUPONT

Allons en Bretagne...

M. DUPONT

Mais en Bretagne, il n'y a pas de montagnes.

Mme DUPONT

Non, mais il y a des rochers, des falaises* au bord de la mer et Jacques peut faire des escalades...

M. DUPONT

Il ne va pas monter pendant deux mois sur le même rocher...

Mme DUPONT

Mais il y a beaucoup de rochers en Bretagne, et pour toi, la Bretagne n'est pas trop loin de Paris...

M. DUPONT *(pas très gai)*

Allons en Bretagne, on va bien s'amuser! Ton café est très bon, ma chérie... Merci...

MME DUPONT

Tu pars?

M. DUPONT

Oui, je vais travailler. Au revoir, ma chérie...

MME DUPONT

Au revoir, Daniel, bonne journée...

M. DUPONT

Merci.

M. Dupont arrive à son bureau. Dans le couloir, il rencontre son collègue, M. Lagrange.

M. LAGRANGE

Bonjour, Dupont.

M. DUPONT

Bonjour, Lagrange, ça va?

M. LAGRANGE

Oui, merci... Alors, ces vacances, vous avez trouvé quelque chose?

M. DUPONT

Non, mais nous avons choisi.

M. LAGRANGE

Ah, oui?

M. DUPONT

Oui, mon cher, hier soir, nous avons discuté la question des vacances avec les enfants.

M. LAGRANGE

Avec les enfants? Ce sont les enfants qui décident, chez vous?

M. DUPONT

Mais non, mon cher, nous décidons en famille. Nous sommes des parents modernes, des parents démocrates...

M. LAGRANGE

Des parents nouvelle vague.

M. DUPONT

Exactement...

M. LAGRANGE

Et qu'est-ce que vous avez décidé?

M. DUPONT

La Bretagne.

M. LAGRANGE

Ah?

M. DUPONT

Oui, vous comprenez, j'ai un fils qui aime la campagne.

M. LAGRANGE

La Bretagne.

M. DUPONT

J'ai une fille qui aime le soleil.

M. LAGRANGE

La Bretagne.

M. DUPONT

Oui, la côte Atlantique. Moi, je veux passer les week-ends avec ma famille.

M. LAGRANGE

La Bretagne.

M. DUPONT

J'ai un fils qui aime la montagne.

M. LAGRANGE *(après un temps de silence)*

Et alors...?

M. DUPONT

La Bretagne, mon cher, la Bretagne.

M. LAGRANGE

Mais il n'y a pas de montagnes en Bretagne?

M. DUPONT

Non, mais il y a des rochers, mon fils peut faire des escalades...

M. LAGRANGE

Et il est content, votre fils?

M. DUPONT

Mon fils? Ah, oui, il est très content! Tout le monde est très content, mon cher.

M. LAGRANGE

Eh bien, vive la Bretagne!

Mlle MIREILLE

M. Dupont, téléphone, on vous appelle de Nice, c'est M. Dubois, il est très pressé!

M. DUPONT

Merci, mademoiselle, j'arrive tout de suite. *(À M. Lagrange.)* Excusez-moi, mon cher, on m'appelle de Nice...

M. LAGRANGE

C'est Dubois? Eh bien, mon cher, bon courage.

M. DUPONT

Oh, oui, quand Dubois téléphone, c'est toujours pour demander des conseils, il faut tout expliquer, il ne comprend rien...

M. LAGRANGE

Et il a toujours des affaires très importantes...

M. DUPONT

Importantes pour lui. Et il est toujours pressé.

Mlle MIREILLE

M. Dupont, téléphone : M. Dubois...

M. DUPONT

Voilà, voilà...

M. Dupont entre dans son bureau, il prend le téléphone...

M. DUPONT

Bonjour, Dubois... Excusez-moi, je sais que vous êtes pressé, mais j'étais en train de discuter une affaire importante avec M. Lagrange. Oui, une affaire en Bretagne ... Oh, très, très importante ... Alors, mon cher, qu'est-ce qui ne va pas? *(Long silence.)* Oui ... Oui ... Je comprends. *(À Mlle Mireille.)* Mlle Mireille, vous avez le journal? ... Merci. *(Au téléphone.)* Oh, je comprends très bien, c'est une affaire très importante. *(Il lit le journal en téléphonant.)* ... Comment, moi? ... A Nice? ... En juillet? ... Si je comprends bien, vous voulez que je vienne deux ou trois fois à Nice, en juillet? ... Mais c'est une bonne idée, mon cher, une très bonne idée. Oh, oui, avec plaisir ... Je dis : avec plaisir ... Mais vous comprenez, il faut que je demande si M. le Directeur permet ... C'est cela, je vais en parler à M. le Directeur ... et vous me rappelez. C'est cela, au revoir, cher ami. A bientôt. *(Il raccroche.)* Non, mais, Mlle Mireille, vous avez entendu?

Mlle MIREILLE

Je n'ai pas très bien compris ...

M. DUPONT

Eh bien, Dubois me demande d'aller deux ou trois fois à Nice, en juillet, pour installer les machines de la société* Simon.

Mlle MIREILLE

Mais c'est une bonne idée, monsieur!

M. DUPONT

Comment, une bonne idée?

Mlle MIREILLE

Mais oui, aller à Nice, en juillet, presque chaque semaine ... c'est un voyage agréable!

M. DUPONT

C'est peut-être un voyage agréable, mais cela ne m'intéresse pas.

Mlle MIREILLE

Vraiment?

M. DUPONT

Pas du tout. Vous comprenez, mademoiselle, en juillet, ma famille est en vacances en Bretagne et je veux aller en Bretagne pour le week-end. Alors, vous comprenez, je ne peux pas aller chaque semaine en Bretagne en week-end, et passer deux nuits dans le train, chaque semaine, pour aller à Nice ... Cela ne m'intéresse pas du tout ...

Mlle MIREILLE

Oui, je comprends.

M. DUPONT

Est-ce que M. le Directeur est arrivé?

Mlle MIREILLE

Oui, monsieur, il est dans son bureau.

M. DUPONT

Bon, alors, je monte chez M. le Directeur ...

M. Dupont monte au premier étage. Il frappe à la porte du bureau de M. le Directeur.

LE DIRECTEUR *(de l'intérieur)*

Entrez!

M. DUPONT

Bonjour, M. le Directeur.

LE DIRECTEUR

Bonjour, Dupont. Asseyez-vous, mon cher ... Et dites-moi ce qui ne va pas.

M. DUPONT

Tout va bien, M. le Directeur, mais Dubois a téléphoné.

LE DIRECTEUR

Pour une affaire importante.

M. DUPONT

Naturellement.

LE DIRECTEUR

Et il était pressé.

M. DUPONT

Très pressé.

LE DIRECTEUR

Et qu'est-ce qu'il veut?

M. DUPONT

Il me demande de venir deux ou trois fois à Nice, en juillet, pour installer les machines de la société Simon ...

LE DIRECTEUR

C'est une affaire importante?

M. DUPONT

La société Simon? Oh, non, une toute petite affaire ...

LE DIRECTEUR

Qu'est-ce que vous décidez?

M. DUPONT

Je pense que ce n'est pas la peine de faire trois voyages. Dubois peut bien installer les machines tout seul ...

LE DIRECTEUR

Eh bien, c'est entendu, dites à Dubois qu'il installe les machines tout seul ... Il est ingénieur, tout de même.

M. DUPONT

Merci, M. le Directeur.

LE DIRECTEUR

Merci? Pourquoi, merci? Vous n'avez pas envie d'aller à Nice?

M. DUPONT

Oh, non, pas du tout.

LE DIRECTEUR

Eh bien, vous êtes content, au revoir, mon cher.

M. DUPONT

Au revoir, M. le Directeur ...

M. Dupont sort du bureau de M. le Directeur. Il est très content, M. Dupont. Il chante en descendant l'escalier. Il entre dans son bureau.

MLLE MIREILLE

M. Dupont, il y a une dame qui veut vous parler.

M. DUPONT

Une dame? Je n'ai pas le temps, j'ai du travail. Cette dame peut venir demain ...

MLLE MIREILLE

A quelle heure?

M. DUPONT

Vers trois heures ... Non, attendez, ça ne va pas.

Après-demain, oui, c'est cela, après-demain, vers 4 heures. Vous me donnez son nom, s'il vous plaît.

M<small>LLE</small> MIREILLE

Je ne connais pas son nom. Elle dit qu'elle vient de la part de l'Agence Michel.

M. DUPONT

L'Agence Michel? Oh, mais c'est très important, mademoiselle, pourquoi ne m'avez-vous pas dit cela tout de suite?

M<small>LLE</small> MIREILLE

Mais, monsieur ...

M. DUPONT

Vous dites : « Il y a une dame qui veut vous parler » ... Une dame! Il y a des centaines de dames ... des milliers de dames ... des millions de dames ... Mais il y a une différence entre une dame sans identité et une dame de l'Agence Michel. Faites entrer cette dame, s'il vous plaît, mademoiselle ...

M<small>LLE</small> MIREILLE

Bien, monsieur.

La secrétaire fait entrer la dame de l'Agence Michel dans le bureau de M. Dupont.

M. DUPONT

Bonjour, madame.

LA DAME

Bonjour, monsieur. Je viens de la part de l'Agence Michel.

M. DUPONT

Asseyez-vous, je vous prie.

LA DAME

Excusez-moi, monsieur, je n'ai pas téléphoné avant de

venir, j'étais très pressée de vous voir. Voilà : j'ai une villa pour vous ...

M. DUPONT

C'est une villa en Bretagne, naturellement?

LA DAME

En Bretagne? Non, pourquoi? C'est une villa en Provence.

M. DUPONT

Alors, c'est impossible, madame. Absolument impossible.

LA DAME

Mais pourquoi, monsieur?

M. DUPONT

Pourquoi? Parce que j'ai un fils qui aime la campagne ...

LA DAME

La Provence, monsieur, la campagne de Provence. La villa est à la campagne ...

M. DUPONT

J'ai une fille qui aime la mer et la plage ...

LA DAME

La Provence, monsieur, la villa est à 10 minutes de la mer ...

M. DUPONT

Parfait, madame, mais j'ai un fils qui aime la montagne ...

LA DAME

Et vous voulez aller en Bretagne?

M. DUPONT

Oui, madame.

LA DAME

Mais, en Bretagne ... il n'y a pas de montagnes.

M. DUPONT

Non, madame, mais il y a des rochers ...

LA DAME

Peut-être, monsieur, mais ce n'est pas les Alpes.

M. DUPONT

Non, bien sûr.

LA DAME

Mais en Provence, il y a les Alpes.

M. DUPONT

Oh, oh ... les Alpes!

LA DAME

Regardez la carte, monsieur. Votre villa est ici, dans la campagne, près de Nice. Votre fils prend l'autocar, une heure plus tard, il est à plus de 1 000 mètres d'altitude*. C'est mieux que la Bretagne.

M. DUPONT

Mais vous oubliez quelqu'un, madame.

LA DAME

Qui?

M. DUPONT

Moi, madame. Je travaille à Paris en juillet, et pour aller voir ma famille en Provence, il faudra que je passe deux nuits dans le train à chaque week-end.

LA DAME

Comment, deux nuits dans le train? Mais Nice est à une heure et demie de Paris.

M. DUPONT

Une heure et demie de Paris?

LA DAME

Mais oui, monsieur, par avion.

M. DUPONT

Et le prix du billet, madame, vous oubliez le prix du billet.

LA DAME

Monsieur, vous êtes dans les affaires, vous avez peut-être des clients à Nice?

M. DUPONT

Des clients à Nice? Mais oui, madame, vous avez raison. Quelle bonne idée, madame! C'est entendu, nous allons en Provence.

LA DAME

Mais, monsieur, vous n'avez pas vu la photo de la villa, vous ne connaissez pas le prix ...

M. DUPONT

Oh, ce n'est sans doute pas beaucoup plus cher qu'en Bretagne ...

LA DAME

En effet, monsieur. C'est une villa de quatre pièces, cuisine, à 10 minutes de la plage, à une heure de la montagne ...

En quelques minutes, l'affaire est arrangée. M. Dupont a loué une villa pour juillet et août, en Provence, dans la campagne, à dix minutes de la plage, à une heure de la montagne, à une heure vingt de Paris, par avion. Il ne reste plus qu'un petit problème à régler. Et M. Dupont frappe à la porte de M. le Directeur.

LE DIRECTEUR *(de l'intérieur)*

Entrez! Ah! Bonjour, Dupont! Asseyez-vous, mon cher, et dites-moi ce qui ne va pas.

M. DUPONT

Eh bien, M. le Directeur, c'est pour cette affaire de Nice.

LE DIRECTEUR

Oui?

M. DUPONT

Vous savez, Dubois est très gentil ...

LE DIRECTEUR

Mais il ne comprend rien ...

M. DUPONT

C'est-à-dire, M. le Directeur, que je me demande s'il peut diriger cette installation tout seul ...

LE DIRECTEUR

Mais c'est une petite affaire ...

M. DUPONT

Une petite affaire, mais c'est notre première affaire avec la société Simon.

LE DIRECTEUR

Naturellement, si c'est la première affaire ... Alors, qu'est-ce que vous décidez?

M. DUPONT

Oh, je veux bien aller à Nice deux ou trois fois en juillet, mais le voyage est tout de même un peu long ...

LE DIRECTEUR

Comment? Nice? Mais c'est à une heure vingt de Paris, mon cher.

M. DUPONT

Par avion ...

LE DIRECTEUR

Ah, mon cher, écoutez-moi bien. Vous dites à Dubois que je veux bien vous envoyer à Nice, mais à une condition : la société Simon vous paie le voyage par avion.

M. DUPONT

Bien, M. le Directeur. Alors, je téléphone à Dubois.

M. Dupont sort du bureau de M. le Directeur. Il est très content, M. Dupont. Il rencontre son collègue Lagrange.

M. LAGRANGE

Eh bien, Dupont, ça va? Vous pensez aux vacances en Bretagne?

M. DUPONT

En Bretagne?

M. LAGRANGE

Oui, en Bretagne. C'est bien en Bretagne que vous allez?

M. DUPONT

Moi? En Bretagne? Non, nous n'allons pas en Bretagne, nous allons en Provence, nous avons trouvé une villa.

M. LAGRANGE

Mais vous avez un enfant qui aime la campagne?

46

M. DUPONT

La Provence, mon cher, la Provence. La villa est à la campagne.

M. LAGRANGE

Et votre fille qui aime la plage?

M. DUPONT

La Provence, mon cher, nous sommes à la campagne, mais à 10 minutes de la plage ...

M. LAGRANGE

Et vous avez un fils qui veut faire des escalades dans les rochers.

M. DUPONT

La Provence, mon cher, la Provence. Nous avons la montagne à 30 km.

M. LAGRANGE

Et vous allez passer deux nuits dans le train à chaque week-end?

M. DUPONT

Moi, pourquoi?

M. LAGRANGE

Mais pour aller en Provence voir votre famille.

M. DUPONT

Et l'avion, mon cher, vous oubliez l'avion.

M. LAGRANGE

Oh, l'avion! Et qui va payer l'avion? Vous?

M. DUPONT

Non, c'est trop cher pour moi, mais vous oubliez Dubois! Il me demande d'aller installer des machines, et le Directeur veut bien si on me paie le voyage par avion ...

M. LAGRANGE

Mais votre famille a déjà choisi la Bretagne!

M. DUPONT

Et alors? On peut changer d'avis! Ce soir, nous allons

discuter en famille et nous allons décider ensemble
d'aller en Provence ...

M. Dupont, téléphone! C'est M. Dubois, de Nice, il est
pressé.

Voilà, mademoiselle, j'arrive.

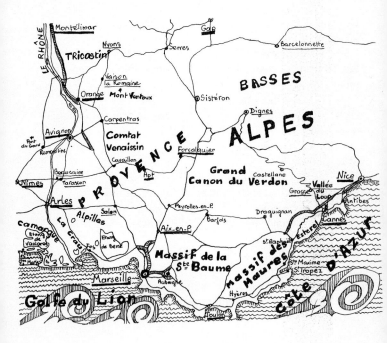

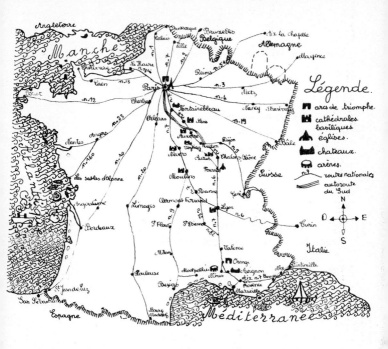

4
De Paris à Nice

*Il est huit heures du soir. La famille Dupont est réunie
autour de la table de la salle à manger. M. Dupont
a mis une grande carte de France sur la table. On prépare le voyage de Paris à Nice. M. Dupont prend la
parole.*

M. DUPONT

Mes chers enfants, nous allons faire un beau voyage,
nous allons traverser une grande partie de la France,

du nord au sud. Regardez bien la carte. Nous sommes
ici, à Paris. Nous prenons la route de Fontainebleau.

PAUL

Est-ce que nous visiterons* le château*?

DOMINIQUE

Bien sûr, avec papa, nous visitons tous les châteaux.

PAUL

Zut, alors!

M. DUPONT

Ces enfants ne s'intéressent à rien. Enfin! Après Fontainebleau, nous passons à Sens.

JACQUES

Nous visitons la cathédrale*?

DOMINIQUE

Naturellement, avec papa, nous visitons toutes les
cathédrales.

PAUL

Deuxième visite intéressante.

M. DUPONT

Nous arrivons ensuite à Auxerre.

JACQUES

Nous visitons la cathédrale?

DOMINIQUE

Naturellement, nous ne pouvons pas passer à Auxerre
sans visiter la cathédrale.

PAUL

Troisième visite ...

M. DUPONT

Nous passons ensuite près de Vézelay ...

JACQUES

Et nous allons visiter la cathédrale ...

DOMINIQUE

Il n'y a pas de cathédrale à Vézelay.

JACQUES

Comment, il n'y a pas de cathédrale?

M. DUPONT

Non, c'est une basilique*.

DOMINIQUE

Et nous visitons la basilique de Vézelay.

PAUL

Quatrième visite ...

M. DUPONT

Après Vézelay, nous passons à Autun.

JACQUES

Mais, papa, Autun n'est pas sur la route.

PAUL

Ça ne fait rien, nous passons par Autun.

M. DUPONT

Car, à Autun, il y a une magnifique cathédrale ...

JACQUES

Cinquième visite ...

M. DUPONT

Nous reprenons ensuite la route nationale, nous passons à Tournus, la capitale artistique de la Bourgogne ...

JACQUES

Et nous visitons toutes les églises* de Tournus.

M. DUPONT *(de plus en plus mécontent)*

Et nous nous arrêtons à Lyon.

PAUL

Où nous arrivons à deux heures du matin.

M. DUPONT

Comment, deux heures du matin?

PAUL

Écoute, papa, si nous visitons toutes les cathédrales, toutes les églises, nous ne pouvons pas arriver à Lyon avant deux heures du matin.

M. DUPONT

Mais nous pouvons partir de Paris de bonne heure ...

JACQUES

Ah, oui! à six heures du matin? Non, merci ...

M. DUPONT *(en colère)*

Bien, mes enfants, très bien, vous ne vous intéressez pas aux églises, ni aux cathédrales, ni aux châteaux, vous ne vous intéressez ni à l'art, ni à l'histoire, c'est très bien, vous prendrez le train, bonsoir.

Monsieur Dupont est parti, très mécontent contre ses enfants. Dans la salle à manger, c'est le silence. Mme Dupont regarde ses enfants.

MME DUPONT

Écoutez, mes enfants, vous n'êtes pas très gentils avec votre père. Il essaie de préparer un voyage intéressant pour vous.

PAUL

Mais, maman, fais le compte : Fontainebleau, Sens, Auxerre, Vézelay, Autun, Tournus, c'est terrible, il y a une cathédrale ou un château tous les cinquante kilomètres.

DOMINIQUE

Écoute, maman, nous voulons bien visiter une cathédrale ou un château, mais pas une demi-douzaine dans la journée, c'est un peu trop.

JACQUES

Oh, mais! j'ai une idée. Prenons la nationale 7.

MME **DUPONT**

Pourquoi la nationale 7?

JACQUES

Regarde, maman, c'est une route sans cathédrales.

DOMINIQUE

Il a raison, maman, regarde : Paris, Fontainebleau.

PAUL

Visite du château ...

JACQUES

Oui, si tu veux, visite du château, ensuite, la vallée de la Loire ...

PAUL

La vallée de la Loire? Mais c'est terrible, il y a tous les châteaux de la Loire!

JACQUES

Mais non, voyons, regarde la carte. Les châteaux de la Loire sont entre Orléans et Angers, nous passons dans une région où il n'y a pas de châteaux ...

DOMINIQUE

Attention, Nevers ... Il y a certainement de magnifiques églises à Nevers.

JACQUES

Bon, si vous voulez, Fontainebleau et Nevers, cela fait deux visites ...

PAUL

Et nous arrivons à Lyon, visite de la ville ...

JACQUES

Mais non, voyons, regardez la carte : Nevers, Moulins, Roanne, et ensuite Saint-Étienne, nous ne passons pas à Lyon, nous sommes sauvés.

DOMINIQUE

Magnifique, nous sommes sauvés des cathédrales ...

JACQUES

Maman, tu expliques à papa que la route nationale 7 est beaucoup plus jolie que la route nationale 6. Inutile de lui dire que c'est une route sans cathédrales.

PAUL

Oh, oui, maman, dis à papa de prendre la nationale 7!

Mme DUPONT

Je vais essayer.

LES ENFANTS

Bravo, maman! vive maman! vive la nationale 7!

Mme Dupont a parlé à son mari, la décision est prise, on passera par la route nationale 7, le paysage est beaucoup plus joli, dit Mme Dupont.

Le lendemain soir, la famille est assise autour de la table de la salle à manger. M. Dupont commence :

M. DUPONT

Mes enfants, nous avons réfléchi, votre mère et moi, nous avons décidé de prendre la route nationale 7. Le paysage est plus joli que par la nationale 6, nous verrons la vallée de la Loire ...

LES ENFANTS

Merci, papa, bravo, papa!

PAUL

Pas de cathédrales ...

M. DUPONT

Comment, pas de cathédrales? Nous visitons Nevers, et il y a, heureusement, quelques églises intéressantes ... Vraiment, je ne comprends pas. Vous ne vous intéressez à rien, mes pauvres enfants.

DOMINIQUE

Mais si, papa, nous voulons bien visiter une ou deux cathédrales, mais pas une demi-douzaine.

JACQUES

Et puis, papa, nous allons avoir le deuxième jour du voyage, nous passons par la Provence, il y a tous les monuments anciens ...

JACQUES

Vienne, avec le temple romain* d'Auguste.

DOMINIQUE

Orange, avec l'arc de triomphe* ...

PAUL

Avignon, avec le château des papes* ...

M. DUPONT

Mes enfants, c'est très triste, mais nous n'aurons pas le temps de visiter ces villes.

MME DUPONT

Comment, Daniel, tu ne veux pas voir les monuments célèbres de Provence?

M. DUPONT

Je veux bien, mais nous n'aurons pas le temps ...

MME DUPONT

Comment, pas le temps?

M. DUPONT

Écoutez-moi bien. La France n'est pas seulement le pays des monuments historiques du temps des Romains ou du Moyen Âge*. Il y a aussi une autre France, la France moderne ...

JACQUES

La France des ingénieurs.

M. DUPONT

Justement, mes enfants, la France des ingénieurs. Je vous propose la visite du grand barrage* de Donzère-Mondragon, et la visite du centre atomique* de Marcoule ...

Un temps de silence.

PAUL

Je préfère les cathédrales ...

JACQUES

Moi aussi.

M. DUPONT

Mes enfants, il faut savoir ce que vous voulez. Quand je propose de visiter des monuments historiques, vous n'êtes pas contents. Quand je propose de visiter des installations techniques, vous n'êtes pas contents et vous préférez des monuments historiques. C'est parfait, vous prendrez le train. Bonsoir ...

Il sort en claquant la porte.

MME DUPONT

Écoutez, mes enfants, vous n'êtes pas très gentils avec votre père.

DOMINIQUE

Écoute, maman, un barrage, ce n'est pas très intéressant.

JACQUES

Et papa voudra tout nous expliquer, comme à l'école.

MME DUPONT

Vous préférez prendre le train?

PAUL

Naturellement pas, maman, tu sais bien que nous avons besoin de la voiture, la villa est à 10 minutes de la plage en voiture, mais à une heure de la plage si nous allons à pied ...

MME DUPONT

Alors, si vous étiez intelligents, vous seriez gentils avec votre père ...

DOMINIQUE

Tu as raison, maman, dis à papa que nous acceptons de visiter ses usines ... et son barrage.

JACQUES *(parle comme son père)*

« Il y a aussi une autre France, la France des ingénieurs, la France de la technique ... »

> *Après quelques discussions, tout le monde est enfin d'accord sur les détails du voyage. Les enfants acceptent quelques églises et M. Dupont veut bien oublier quelques usines.*

> *Le matin du départ arrive. Tout est prêt, M. Dupont va chercher sa voiture au garage. L'employé du garage salue M. Dupont.*

L'EMPLOYÉ

Bonjour, M. Dupont.

M. DUPONT

Bonjour, Charles.

L'EMPLOYÉ

Alors, c'est le départ!

M. DUPONT

Oui; la voiture est prête?

L'EMPLOYÉ

Oui, elle est prête, tout est en ordre.

M. DUPONT

Eh bien, au revoir, Charles!

L'EMPLOYÉ

Au revoir, M. Dupont! bon voyage!

M. DUPONT

Merci.

> *M. Dupont sort du garage, et se dirige vers le boulevard Saint-Michel. Il y a un feu rouge. M. Dupont s'arrête. Une voiture arrive par-derrière et accroche la voiture de M. Dupont, arrêtée au feu rouge. L'automobiliste descend. M. Dupont descend aussi.*

Monsieur, je vous présente toutes mes excuses.

M. DUPONT

Vous avez raison de vous excuser, monsieur, c'est votre faute.

L'AUTOMOBILISTE

Oui, monsieur, je sais, c'est ma faute.

M. DUPONT *(de plus en plus sec)*

C'est bien mon avis ...

L'AUTOMOBILISTE

Et votre voiture ne peut plus rouler.

M. DUPONT

Oui, je crois que la roue arrière ...

L'AUTOMOBILISTE

La roue arrière, monsieur? Non, les deux roues arrière. Vous ne pouvez plus rouler ...

M. DUPONT

Et je vais à Nice ...

L'AUTOMOBILISTE

Nice? Vous avez de la chance.

M. DUPONT

Vous trouvez?

L'AUTOMOBILISTE

Oui, monsieur, vous avez de la chance. Paris-Nice, il faut deux jours en voiture, mais il faut seulement une nuit par le train.

M. DUPONT

Malheureusement, monsieur, j'ai besoin de ma voiture à Nice.

L'AUTOMOBILISTE

Eh bien, vous avez de la chance, je vais arranger tout cela.

M. DUPONT

Mais comment, monsieur?

L'AUTOMOBILISTE

Je vous dis, vous avez de la chance. Je suis directeur de la *Lovoisancho.*

M. DUPONT

La *Lovoisancho*?

L'AUTOMOBILISTE

Oui, monsieur, *Location de voitures sans chauffeur.* Alors, voilà ce que je peux faire pour vous : ma société s'occupe de votre voiture, nous faisons la réparation, vous n'avez rien à payer. Vous prenez un taxi avec votre famille, jusqu'à la gare de Lyon. Vous prenez le train pour Nice, et quand vous arrivez à la gare de Nice, vous trouvez une voiture qui vous attend, une voiture qui est à vous pendant tout le temps de la réparation de votre voiture ...

M. DUPONT

Mais, monsieur, je ne sais pas si je puis accepter ...

L'AUTOMOBILISTE

Comment? mais c'est bien naturel! Nous payons tout : votre voyage, le taxi, le train ... la réparation de votre voiture et la voiture sans chauffeur ...

Un agent de police arrive.

L'AGENT

Pardon, messieurs, qu'est-ce qui est arrivé? Il y a un accident?

M. DUPONT

Un accident? Mais non, pas du tout ...

L'AUTOMOBILISTE

Je parle à monsieur ...

L'AGENT

Mais cette voiture a eu un accident, regardez les roues arrière ...

M. DUPONT

Ce n'est rien, monsieur, rien du tout ...

L'AUTOMOBILISTE

Je parle à monsieur, qui est un de mes amis ...

L'AGENT

Ah, oui?

L'AUTOMOBILISTE

Monsieur est un de mes amis, nous parlons ...

L'AGENT

Eh bien, vous pourriez peut-être ranger vos voitures au bord du trottoir.

L'AUTOMOBILISTE

Vous avez raison, monsieur ...

M. DUPONT

Nous allons ranger nos voitures au bord du trottoir ...

L'AGENT

Parce que, vous savez, il ne faut pas s'arrêter comme cela au milieu de la rue ...

M. Dupont et l'automobiliste remontent dans leurs voitures et font quelques mètres pour ranger les voitures au bord du trottoir. Ils entrent ensuite dans un café pour discuter ...

M. DUPONT

Qu'est-ce que vous prenez, cher monsieur?

L'AUTOMOBILISTE

Ah, non, je vous en prie, c'est moi qui paie ... Qu'est-ce que vous prenez?

M. DUPONT

Permettez-moi de payer ...

L'AUTOMOBILISTE

Jamais de la vie.

M. DUPONT

Mais, monsieur, vous me rendez service, nous allons faire un voyage rapide et confortable par le train, vous mettez une voiture à notre disposition à Nice.

L'AUTOMOBILISTE

Mais c'est bien naturel, cher monsieur, tout à fait normal ...

> M. Dupont accepte un café. Le directeur de la Lovoisancho est vraiment très gentil. En quelques minutes, tout est arrangé. Il a même commandé un taxi par téléphone pour M. Dupont.
>
> Quelques minutes plus tard, M. Dupont arrive à la maison. Il sonne à la porte. Mme Dupont vient ouvrir.

Mme DUPONT

Alors, ta voiture est là?

M. DUPONT

Non, nous partons par le train.

Mme DUPONT

Par le train?

M. DUPONT

Oui, je vais t'expliquer. Nous prenons le train ce soir ...

DOMINIQUE

C'est vrai, papa?

M. DUPONT

Mais oui, c'est vrai.

Mme DUPONT

Alors, explique-toi ...

M. DUPONT

Appelle les enfants ...

Mme DUPONT

Jacques, Paul, Dominique, venez ...

LES ENFANTS

Voilà, maman, voilà, nous sommes prêts ...

La famille est réunie dans la salle à manger. M. Dupont prend la parole et explique qu'il a eu un accident de voiture et que, à cause de cet accident, le voyage se fera par le train ... Les enfants sont très contents.

JACQUES

Bravo, papa!

PAUL

Merci, papa.

M. DUPONT

Mais pourquoi êtes-vous si contents?

DOMINIQUE

Tu sais, papa, deux jours sur la route, en voiture ...

PAUL

Avec les visites des églises et des cathédrales ...

JACQUES

Et les visites des usines et des barrages!

M. DUPONT

Ah! quelle famille! Ces enfants ne s'intéressent à rien.

LES ENFANTS

Mais si, papa, mais tu comprends, ce sont les vacances!

Le lendemain matin, la famille Dupont arrive à Nice par le train. A l'arrivée du train, on entend dans les haut-parleurs* :

LE HAUT-PARLEUR

Nice, dix minutes d'arrêt ... Nice, dix minutes d'arrêt ... sortie et correspondance* par le passage souterrain* ... Messieurs les voyageurs trouveront des taxis, porte C, à la sortie de la gare. M. Dupont, de Paris, est demandé au bureau de la société Lovoisancho. Je répète ... M. Dupont, de Paris, est demandé au bureau de la société Lovoisancho ...

5
Une villa en location

M. Dupont est à l'aéroport* d'Orly. Il va prendre l'avion pour passer le week-end avec sa famille qui est installée dans une villa, à Tourettes, près de Nice.

LES HAUT-PARLEURS

Vol AF 745 à destination* de Nice, départ à 17 heures 30. Les passagers sont priés de se rendre à la salle d'embarquement*, porte 47.

M. Dupont va à la salle d'embarquement. Il attend quelques minutes avec les autres passagers. L'autobus arrive, les passagers montent dans l'autobus qui les conduit à l'avion. Ils descendent de l'autobus, montent dans l'avion, s'installent à leur place. L'hôtesse* salue les passagers.

64

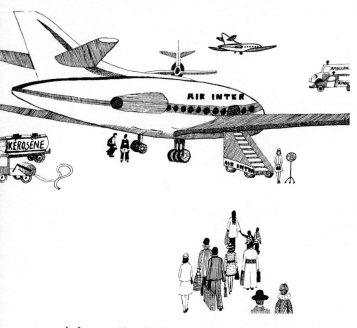

L'HÔTESSE *(dans les haut-parleurs de l'avion)*

Mesdames, messieurs, le capitaine* Randin et son équipage* vous souhaitent la bienvenue* à bord de la Caravelle *Provence,* à destination de Nice. Nous partons dans quelques minutes. Attachez vos ceintures de sécurité*, s'il vous plaît, et veuillez éteindre vos cigarettes. Merci.

> *Une heure vingt minutes plus tard, les haut-parleurs de l'aéroport de Nice annoncent l'arrivée* de l'avion de M. Dupont.*

LES HAUT-PARLEURS

La Caravelle venant de Paris, à destination de Nice, vol AF 745, vient d'atterrir*. Les passagers sortiront dans quelques minutes, porte A.

*Voilà les passagers de l'avion de Paris, et voilà
M. Dupont. Est-ce que Mme Dupont est là? Non ...
C'est étonnant!*

LES HAUT-PARLEURS

M. Dupont, venant de Paris par le vol AF 745, est prié
de se rendre au bureau d'informations*.

*M. Dupont a entendu. Il se dirige vers le bureau d'infor-
mations. L'employé est en train de parler au téléphone.*

L'EMPLOYÉ

Oui, madame, l'avion est arrivé ... Oui, madame, les
passagers vont bientôt sortir ... Oui, attendez encore un
peu, s'il vous plaît. Une seconde, madame, s'il vous
plaît. *(À M. Dupont.)* Que désirez-vous, monsieur?

M. DUPONT

Excusez-moi, j'ai entendu les haut-parleurs, on demande M. Dupont ...

L'EMPLOYÉ

Oui, monsieur, c'est un passager de l'avion de Paris ...

M. DUPONT

Vol AF 745, n'est-ce pas?

L'EMPLOYÉ

Exactement, monsieur, vol AF 745.

M. DUPONT

Alors, monsieur, c'est moi.

L'EMPLOYÉ

Vous êtes M. Dupont?

M. DUPONT

Oui, monsieur.

L'EMPLOYÉ

M. Dupont, venant de Paris par le vol AF 745?

M. DUPONT

Exactement.

L'EMPLOYÉ

Alors, monsieur, vous avez Mme Dupont à l'appareil.

M. DUPONT (*étonné*)

Pardon?

L'EMPLOYÉ

Oui, vous avez Mme Dupont au téléphone. Si vous voulez parler à Mme Dupont ... (*Au téléphone.*) Allô, Mme Dupont, je vous passe M. Dupont.

M. DUPONT (*au téléphone*)

Allô? C'est toi, Mimi? ... Comment, qu'est-ce que je fais? ... Mais non, je ne fais pas la conversation avec l'employé, je me présente, c'est tout ... Oui, très bon voyage ... mais oui, merci ... Tu ne peux pas venir me chercher? Ah, bon, bon, alors je vais prendre un taxi ... A tout à l'heure ... Les enfants vont bien? ... C'est cela, à tout à l'heure. (*Il raccroche. A l'employé.*) Merci, monsieur, c'est ma femme qui me téléphonait ...

L'EMPLOYÉ

Rien de sérieux, j'espère?

M. DUPONT

Oh, non, elle ne peut pas venir me chercher avec la voiture, alors, je vais prendre un taxi ... Au revoir, monsieur, merci ...

L'EMPLOYÉ

Au revoir, monsieur ... Vous avez des taxis à la sortie ...

M. DUPONT

Oui, merci beaucoup.

L'EMPLOYÉ

A votre service, monsieur.

M. Dupont prend donc un taxi pour aller à Tourettes, petit village dans la campagne, près de Nice. Mme Dupont et les enfants habitent une villa en location, à

Tourettes. Le chauffeur du taxi fait la conversation avec son client.

LE CHAUFFEUR

Alors, comme cela, vous allez à Tourettes?

M. DUPONT

Oui, ma femme et mes enfants sont à Tourettes, nous avons loué une villa pour les vacances.

LE CHAUFFEUR

C'est joli, Tourettes.

M. DUPONT

Oui, très joli.

LE CHAUFFEUR

Et c'est la campagne.

M. DUPONT

Justement, j'ai un garçon qui aime beaucoup la campagne.

LE CHAUFFEUR

Et ce n'est pas loin de la mer ...

M. DUPONT

J'ai une fille qui aime beaucoup la plage.

LE CHAUFFEUR

Avec une voiture, on est à la plage en dix minutes ... Et la montagne n'est pas loin non plus.

M. DUPONT

J'ai un fils qui aime beaucoup la montagne.

LE CHAUFFEUR

Avec une voiture, on est à la montagne en une demi-heure.

M. DUPONT

Ah, oui! c'est bien utile, une voiture.

LE CHAUFFEUR

Vous n'avez pas de voiture?

M. DUPONT

Si, nous avons une voiture, mais une, seulement.

LE CHAUFFEUR

Et alors?

M. DUPONT

Et alors, ma fille qui aime la plage veut aller à la plage ...

LE CHAUFFEUR

Dix minutes de voiture.

M. DUPONT

Et mon fils qui aime la montagne veut aller à la montagne ...

LE CHAUFFEUR

Une demi-heure de voiture.

M. DUPONT

Dix minutes par-ci, une demi-heure par-là, résultat : ma femme fait le chauffeur de taxi toute la journée, et quand j'arrive de Paris, elle téléphone à l'aéroport pour dire qu'elle n'a pas le temps de venir me chercher ...

LE CHAUFFEUR

Parce qu'elle doit conduire votre fils à la montagne ...

M. DUPONT

Et ma fille à la plage ...

LE CHAUFFEUR

Heureusement, il y a des taxis à l'aéroport.

M. DUPONT

Oui, heureusement.

LE CHAUFFEUR

Que voulez-vous, ce sont les vacances, les enfants ne peuvent pas rester toute la journée à la maison, s'ils aiment aller à la plage ... ou à la montagne ...

M. DUPONT

Oui, vous avez raison, ce sont les vacances, pour les enfants, mais pas pour ma femme, elle fait le chauffeur de taxi toute la journée ...

LE CHAUFFEUR

Oh, vous savez, c'est un métier comme un autre.

M. DUPONT

Oui, bien sûr, c'est un métier comme un autre ... mais c'est fatigant.

LE CHAUFFEUR

Non, pas trop; mais par ici, à la campagne, les routes ne sont pas larges, il faut faire attention aux camions.

M. DUPONT

Je voulais dire que c'est fatigant pour ma femme ...

LE CHAUFFEUR

Ah, oui, bien sûr! ... mais le paysage est joli ... Tenez, nous arrivons à Tourettes.

M. DUPONT

Attention au camion! Attention! Oh, mon Dieu! ...

> *La route n'est pas très large, le camion a accroché le taxi de M. Dupont. Heureusement, le camion et le taxi n'allaient pas très vite. Personne n'est blessé.*
>
> *Le chauffeur du taxi discute avec le chauffeur du camion. M. Dupont prend sa valise, paie le taxi, et va à pied jusqu'à la villa. Il sonne à la porte.*

Mme DUPONT

Comment, c'est toi? Tu n'as pas pris un taxi?

M. DUPONT

Mais si ...

Mme DUPONT

Mais tu arrives à pied.

M. DUPONT

J'ai eu un accident.

Mᵐᵉ DUPONT

Mon Dieu, un accident d'avion!

M. DUPONT

Mais non, un accident de taxi. Mais je n'ai rien, tu vois!

Mᵐᵉ DUPONT

Ah! j'ai eu peur. Mais entre, mon chéri, entre! *(Elle appelle.)* Les enfants, c'est papa! Papa est arrivé!

JACQUES, PAUL, DOMINIQUE *(arrivent tous ensemble)*

Ah, voilà papa! Bonjour, papa! Mais où est ton taxi? Tu arrives à pied? ... Un accident? Raconte, papa, raconte! ...

M. Dupont raconte son accident avec le camion sur la petite route, en arrivant à Tourettes. Puis les enfants préparent la table pour le dîner. Jacques frappe sur une assiette avec une cuiller.

JACQUES

Le dîner est prêt, le dîner ... *(L'assiette tombe et se casse.)*
Zut!

M. DUPONT

Qu'est-ce qu'il y a?

MME DUPONT

Jacques a cassé une assiette.

PAUL *(qui arrive)*

Jacques a cassé une assiette?

DOMINIQUE *(de loin)*

C'est une assiette à fleurs?

JACQUES

Oui, c'est une assiette à fleurs.

DOMINIQUE *(qui arrive)*

Alors, j'écris « une assiette à fleurs » sur la liste[*].

M. DUPONT

Quelle liste?

JACQUES

Tu sais, papa, tout est en ordre, ici.

PAUL

Nous avons une liste.

DOMINIQUE

La liste des choses cassées.

JACQUES

Quand on casse quelque chose, on l'écrit sur la liste.

MME DUPONT

Et à la fin des vacances, on achète tout ce qui est sur
la liste. Comme cela, le propriétaire est content...

M. DUPONT

Oui, je vois ... Mais votre liste, elle est longue?

DOMINIQUE

Écoute, papa : un verre ...

PAUL

Une assiette blanche ...

JACQUES

Un pot bleu ...

DOMINIQUE

Une assiette à fleurs ...

M. Dupont prend une chaise. Il va s'asseoir.

TOUT LE MONDE *(crie)*

Non, papa, attention, papa!

Trop tard! M. Dupont s'est assis sur la chaise cassée, il est tombé.

JACQUES

Tu t'es fait mal, papa?

M. DUPONT

Non, ce n'est rien, mais la chaise n'était pas très solide.

DOMINIQUE

Naturellement, papa, c'est la chaise cassée.

M. DUPONT

C'est idiot, pourquoi y a-t-il une chaise cassée dans la salle à manger?

MME DUPONT

Tu sais, mon chéri, c'est une villa en location.

JACQUES *(chante sur l'air d'un psaume*)*

Pourquoi y a-t-il trois pieds au lieu de quatre à la table de la cuisine?

PAUL ET DOMINIQUE *(chantent)*

Parce que c'est une villa en location ...

M. DUPONT

Très bien, j'ai compris.

DOMINIQUE

Alors, j'inscris une chaise sur la liste.

M. DUPONT

Pardon, la chaise était déjà cassée.

DOMINIQUE

La chaise était un peu cassée, un peu, seulement.

PAUL

Maintenant, elle est tout à fait cassée!

M. DUPONT

Mais, enfin, pourquoi y a-t-il une chaise « un peu »
cassée dans la salle à manger?

TOUS

Parce que c'est une villa en location.

M. DUPONT

Bon, j'ai compris. Mais j'ai faim ...

TOUS

A table, à table!

*Le dîner est très gai. M. Dupont est heureux de retrou-
ver sa famille. Les enfants racontent leurs journées de
vacances. Quand le dîner est fini, Mme Dupont pose la
question habituelle :*

Mme DUPONT

Qui fait la vaisselle aujourd'hui?

DOMINIQUE ET JACQUES

C'est Paul!

M. DUPONT

Ah, on continue les bonnes habitudes?

Mme DUPONT

Mais oui, il y a un tableau de service, regarde : Vaisselle : lundi, Dominique, mardi, Jacques, mercredi, Paul,
jeudi, maman ...

M. DUPONT

Mais c'est magnifique! Quelle excellente organisation!
Donne-moi ce tableau de service. Merci ... Oui, très
bien, très bien. Tiens, qu'est-ce que c'est? Boulanger :

lundi, Jacques, mardi, Jacques, mercredi, Jacques ...
C'est Jacques qui est de service tous les jours pour
aller chez le boulanger?

DOMINIQUE

Oui, c'est Jacques qui va tous les jours chez le boulanger, à cause de Simone.

M. DUPONT

Quelle Simone?

PAUL

Simone, la fille du boulanger, naturellement.

M. DUPONT

Bon! j'ai compris ... Tiens, qu'est-ce que c'est? Facteur :
lundi, Jacques, mardi, Dominique, mercredi, maman ...
Est-ce qu'il y a un jour de service aussi pour le facteur?
Pourquoi?

Mme DUPONT

Je vais t'expliquer. Le facteur est très gentil, mais il
parle beaucoup. La maison est loin du village, alors,
quand le facteur arrive, il est fatigué.

DOMINIQUE

On lui donne une chaise ...

JACQUES

Le facteur s'assied quelques minutes ...

PAUL

Comme il fait chaud, le facteur a soif ...

Mme DUPONT

On lui donne un verre de bière ...

DOMINIQUE

Et comme le facteur est poli, il fait la conversation ...

PAUL

Lundi, avec Jacques.

JACQUES

Mardi, avec Dominique.

DOMINIQUE

Mercredi, avec maman ...

M. DUPONT

Bon, je comprends. Mais il manque quelque chose sur votre tableau de service ...

Mme DUPONT

Quoi donc?

M. DUPONT

Chauffeur pour conduire Dominique à la plage ...

DOMINIQUE

Et pour conduire Jacques à la montagne ...

M. DUPONT

Lundi, maman ...

Mme DUPONT

Mardi, maman ...

M. DUPONT

Mercredi, maman, jeudi, maman, etc. Et quand M. Dupont arrive à Nice, Mme Dupont n'a pas le temps de venir chercher son mari à l'aéroport parce qu'elle fait le chauffeur de taxi pour les enfants ...

JACQUES

Heureusement!

M. DUPONT

Comment, heureusement?

JACQUES

Oui, heureusement que maman ne va pas te chercher à l'aéroport : les routes ne sont pas larges, si maman prend la voiture et rencontre un camion, qu'est-ce qui arrive, hein? Pang*!

On entend un bruit terrible dans la cuisine.

M. DUPONT

Qu'est-ce que c'est?

MME DUPONT

Ce n'est rien, c'est le moteur du réfrigérateur*.

M. DUPONT

Eh bien, ton réfrigérateur a un moteur d'avion. Pourquoi fait-il un bruit pareil?

JACQUES *(chante sur l'air d'un psaume)*

Pourquoi y a-t-il douze fourchettes et seulement six cuillers?

PAUL ET DOMINIQUE

Parce que c'est une villa en location.

JACQUES

Pourquoi y a-t-il trois pieds au lieu de quatre à la table de la cuisine?

PAUL ET DOMINIQUE

Parce que c'est une villa en location.

C'est une villa en location, mais les Dupont passent de bonnes vacances à Tourettes, dans la campagne de Nice.

Les enfants sont couchés. M. et Mme Dupont, à la fenêtre de leur chambre, parlent dans la nuit. M. Dupont, qui vient de Paris, trouve la campagne très tranquille.

M. DUPONT

Quel silence!

MME DUPONT

Oui, surtout la nuit ...

M. DUPONT

Quelle différence avec le bruit de Paris!

MME DUPONT

Tu vas bien dormir.

M. DUPONT

Oh, oui ... Écoute, on n'entend rien, seulement la pendule*.

On entend, seul bruit dans la chambre, le tic-tac régulier de la pendule. Tout à coup, il y a un bruit curieux.

M. DUPONT

Qu'est-ce que c'est? C'est encore le réfrigérateur?

Mme DUPONT

Non, c'est la pendule. Elle va bientôt sonner, et juste avant de sonner, elle fait ce drôle de bruit.

La pendule se met à sonner, cela fait un bruit terrible.

M. DUPONT

Écoute, Mimi, ta pendule sonne très bien, mais si tu permets ... *(Il va à la pendule et l'arrête.)* Je préfère arrêter la pendule. Elle ne sonnera plus.

Mme DUPONT

Si tu veux, tu dormiras mieux!

M. DUPONT

Mais pourquoi cette pendule fait-elle un bruit pareil?

Mme DUPONT

Tu sais, c'est une villa en location ...

M. DUPONT *(rit)*

C'est vrai, j'avais oublié.

Oui, M. Dupont, c'est une villa en location. Il faut s'habituer à certaines choses : la pendule, le réfrigérateur, la chaise un peu cassée, les fourchettes sans cuillers, la table à trois pieds au lieu de quatre, mais c'est la campagne, les vacances ... Maintenant que la pendule est arrêtée, on n'entend plus rien ... Bonne nuit, la famille Dupont!

Mots difficiles

21 Un collègue

Une personne qui fait le même travail que vous. M. Lagrange travaille dans le même bureau que M. Dupont; c'est le collègue de M. Dupont.

Raccrocher le téléphone

Reposer le téléphone quand on a fini de parler.

22 Un annuaire du téléphone

Un livre dans lequel on trouve le nom et l'adresse des gens, avec leur numéro de téléphone.

24 Un dictateur

Hitler était un dictateur. Un dictateur commande un pays, et personne ne discute ses ordres (voir note p. 18).

Un démocrate

Celui qui aime la démocratie. C'est le contraire d'un dictateur (voir note p. 18).

La nouvelle vague

C'est la nouvelle mode. Des parents nouvelle vague sont des parents modernes, camarades de leurs enfants. On dit aussi des films nouvelle vague.

27 La patrie

C'est le pays où l'on est né. Ici, les enfants chantent *La Marseillaise,* chant national français.

Faire une escalade

Monter sur une montagne, en passant par des endroits difficiles.

Grimper

Monter avec les bras et les jambes; par exemple, grimper à un arbre.

Un rocher

C'est une très grosse pierre.

Faire de l'alpinisme

Grimper dans des endroits difficiles, sur des rochers, dans les montagnes.

29 Être snob

Admirer et copier tout ce qui est à la mode, sans avoir d'idées personnelles.

Le week-end

Le samedi et le dimanche, qui finissent la semaine.

33 Une falaise

Sur les côtes, la mer use les rochers, elle les fait tomber; ils forment des murs très hauts que l'on appelle des falaises.

38 Une société
C'est un groupe de personnes qui s'occupent de commerce ou d'industrie.

43 L'altitude
Le nombre de mètres au-dessus de la mer.

50 Visiter
Aller à un endroit, en regarder les différentes parties.

Un château
Une grande et belle maison, habitée autrefois par des personnes importantes ou très riches. Exemple : le château de Louis XIV à Versailles.

Une cathédrale
Une église principale, souvent très grande et très belle.

51 Une basilique
Une église très grande, mais moins importante que la cathédrale.

Une église
La maison de Dieu.

55 Un monument romain
Une maison ou un temple construit autrefois par les Romains.

Un arc de triomphe
Une grande porte décorée.

Le pape
C'est le chef des catholiques romains. Il réside à Rome, au palais du Vatican. Au xive siècle, les papes ont habité Avignon.

Le Moyen Âge
Les années entre 395 et 1453.

Un barrage
Un grand mur construit pour arrêter l'eau d'une rivière et produire de l'électricité.

Un centre atomique
Un lieu où les ingénieurs étudient l'atome ou produisent la force atomique.

64 Un haut-parleur
Un appareil électrique qui donne beaucoup de force à la voix ou à la musique.

Une correspondance
Le passage d'une ligne à une autre.

Un passage souterrain
Un passage sous la terre.
Un aéroport
L'endroit où arrivent et d'où partent les avions.
Une destination
L'endroit où l'on va.
La salle d'embarquement
La salle où vont les voyageurs avant de prendre l'avion.
Une hôtesse
Dans les avions, une jeune fille qui s'occupe des voyageurs.
65 Le capitaine
Celui qui commande l'avion.
Un équipage
Les personnes qui travaillent dans l'avion et s'occupent de l'avion et des voyageurs.
Souhaiter la bienvenue
Dire aux gens qu'on est heureux de les recevoir.
Une ceinture de sécurité
Une ceinture pour attacher les voyageurs à leur place.
Annoncer l'arrivée
Dire que l'avion est arrivé.
Atterrir
Se poser sur la terre.
66 Un bureau d'informations
Un bureau où on peut demander ce que l'on veut savoir.
72 Une liste
Une suite de noms de personnes ou de choses.
73 Un psaume
Un chant d'Église dont la musique ne change pas beaucoup.
76 Pang !
Interjection, mot qui imite un bruit.
77 Un réfrigérateur
Un appareil pour garder les provisions dans le froid.
Une pendule
C'est une grande montre posée sur un meuble, ou pendue au mur.

Qui cherche, trouve

Soirée familiale p. 5

1 Phrases à transformer

MODÈLE

Jacques **écoute** le match.
a/ Jacques **va écouter** le match.
b/ Jacques **est en train d'écouter** le match.
c/ Jacques **vient d'écouter** le match.

Mme Barrault **prépare** le dîner.
Dominique **fait** la vaisselle.
Les enfants **font** leurs devoirs.
Mme Dupont **coud** un bouton.
M. Dupont **sert** les enfants.

2 Phrases à transformer

MODÈLE

Mets ton veston dans l'armoire.
a/ **Mettez votre** veston dans l'armoire.
b/ **Voulez-vous mettre votre** veston dans l'armoire?

Mets ta jupe dans l'armoire.
Va dans **ta** chambre.
Fais tes devoirs.
Donne ton tablier.

3 Phrases à transformer

MODÈLE

Il demande votre bicyclette.
a/ **Pouvez-vous lui prêter votre** bicyclette?
b/ **Pouvez-vous la lui** prêter?

Il demande votre transistor.
Elle demande votre guitare.
Ils demandent votre bicyclette.
Elles demandent votre transistor.

4 Trouvez la question correspondant à la réponse

MODÈLE
> Non, merci, pas d'allumettes, s'il vous plaît!

Voulez-vous des allumettes?

Non, merci, pas de riz, s'il vous plaît!
Non, merci, pas de cigarettes, s'il vous plaît!
Non, merci, pas de poule au riz, s'il vous plaît!
Non, merci, pas de bœuf bouilli, s'il vous plaît!

5 Donnez la phrase de sens opposé, en remplaçant les mots en gras par d'autres mots

Le riz est **trop** cuit.
Dominique **entre dans** la chambre.
Mme Barrault a **fini** sa journée.
Mme Barrault va **ouvrir** la porte.
La réponse est **fausse**.
Le dîner est très **gai**.
Paul a eu de **bonnes** notes en mathématiques.

6 Retrouvez la phrase exacte

Dans la colonne de gauche, vous trouvez le début d'une phrase. Cherchez la fin de la phrase dans la colonne de droite.

1. Dominique joue
de la guitare
    ○ dans le placard

2. Si tu veux de la crème
au chocolat
    ○ tu vas oublier la vaisselle

3. Jacques n'aime pas
    ○ ma jupe bleue

4. Le professeur
de mathématiques
    ○ fait la vaisselle

5. Mets ta jupe
    ○ dans sa chambre

6. Maman a réparé
    ○ la poule au riz

7. A la cuisine, Dominique
    ○ ne comprend rien

8. Si je t'aide pour ton devoir
    ○ tu dois manger de la poule
au riz

Famille et démocratie p. 18

1   Phrases à transformer

MODÈLE

Il faut penser aux vacances!

a/ **Pensez** aux vacances!

b/ **Vous devez penser** aux vacances.

Il faut choisir une région de France!

Il ne faut pas être des parents dictateurs!

Il faut vous mettre de l'eau de Cologne!

Il ne faut pas vous mettre en colère!

Il faut prendre une carte!

2   Phrases à transformer

MODÈLE

Ne me téléphonez pas!

a/ **Ce n'est pas la peine de me** téléphon**er**.

b/ **Je viens de vous** téléphon**er**.

Ne lui parlez pas des vacances!

Ne leur demandez pas leur avis!

Ne leur dites pas bonjour!

Ne lui vendez pas de machine!

Ne leur donnez pas de café!

3   Phrases à transformer

MODÈLE

L'hiver, je fais du ski.

a/ **Tous les hivers, je fais** du ski.

b/ **Cet hiver, je faisais** du ski.

Le matin, je discute avec ma femme.

L'été, je suis à la campagne.

Le soir, j'écoute la radio.

La nuit, je pense aux vacances.

L'après-midi, je vais au bureau.

4 Phrases à transformer

Voyez toutes les régions de France!
a/ **Voulez-vous voir** toutes les régions de France?
b/ **Vous verrez** toutes les régions de France.

Téléphonez ce soir!
Venez demain!
Choisissez une villa!
Allez à la campagne!
Soyez gentil!

5 Donnez la phrase de sens contraire, en remplaçant les mots en gras par d'autres mots

Tu dis **quelque chose**?
Nous avons **vendu** des machines.
C'est **difficile** de s'arranger.
Vous avez **déjà** trouvé.
La maison est **près de** la plage.

6 Retrouvez la phrase exacte

1. M. Dupont loue une villa   ○ sans bruit

2. M. Dupont se rase   ○ pendant les heures de bureau

3. M. Dupont met la carte de France.   ○ sur la Méditerranée

4. M. Dupont téléphone à l'agence   ○ dans la salle de bains

5. Dominique veut passer ses vacances   ○ sur la table de la salle à manger

6. Jacques ferme la porte   ○ trois mois à l'avance

Tout s'arrange p. 31

1 Phrases à transformer

MODÈLE

> Mes parents arrivent demain.

a/ **Ce sont** mes parents **qui** arrivent demain.
b/ **Ce sont eux qui** arrivent demain.

Mon fils aime la montagne.
Mes enfants veulent aller en vacances.
Ma fille préfère la plage.
Ma femme choisit la campagne.
Mon mari téléphone de Nice.

2 Phrases à transformer

MODÈLE   Choisissez!

Nous avons choisi.

Partez en vacances!
Montez!
Prenez une décision!
Allez chez le Directeur!
Descendez l'escalier!

3 Phrases à transformer

MODÈLE

> M. Dupont lit son journal et fume une cigarette.

Il fume une cigarette **en lisant** son journal.

M. Dupont descend l'escalier et chante.
M. Dupont va au bureau et chante.
M. Dupont se rase dans la salle de bains et chante.
M. Dupont sort de son bureau et chante.
M. Dupont monte l'escalier et chante.

4 Donnez la phrase de sens opposé,
en remplaçant les mots en gras par d'autres mots

Il comprend **tout.**
C'est un voyage très **long.**

Il est **toujours** pressé.
C'est **moins** agréable que la Bretagne.
Vous **pensez** au prix du billet?
Il est **parti** une heure plus tôt.
Tout le monde est content.
Il a oublié **quelqu'un.**
Vous **n'**avez **rien** acheté?

5   Phrases à compléter

MODÈLE

Je l'ai rencontré . . . Normandie.
Je l'ai rencontré **en** Normandie.

Je l'ai rencontré . . . couloir.
Elle est allée   . . . plage.
Il fait du ski   . . . Alpes.
Il est professeur . . . lycée.
Elle passe l'été   . . . Bretagne.
Il fait le voyage . . . train.

6   Retrouvez la phrase exacte

1. M. Dupont n'a pas vu
la photo   ○ de la dame de l'agence

2. La secrétaire
ne connaît pas le nom   ○ du Directeur

3. Le bureau   ○ à plus de 1 000 mètres
du Directeur est   d'altitude

4. Mme Dupont prépare
le café   ○ dans le train

5. M. Dupont frappe
à la porte   ○ de la villa

6. En une heure, avec l'autobus,
vous arrivez   ○ au premier étage

7. M. Dupont ne veut pas
passer deux nuits   ○ à la cuisine

De Paris à Nice p. 49

1 Phrases à transformer

MODÈLE

Vous êtes intelligents, soyez gentils avec votre père!
Si vous étiez intelligents, **vous seriez** gentils avec votre père!

Vous êtes pressé, prenez le train.
Nous n'avons pas l'auto, nous allons à pied.
Nous visitons toutes les cathédrales, nous ne pouvons pas arriver avant deux heures du matin.
Nous prenons le train, nous faisons un voyage confortable.
Nous sommes pressés, nous partons de bonne heure.
Vous téléphonez à la Lovoisancho, vous pouvez avoir une voiture en location.

2 Phrases à transformer

MODÈLE

M. Dupont a un accident.
Il dira qu'il a eu un accident.

M. Dupont me rend un service.
Le chauffeur ne peut pas s'arrêter.
M. Dupont s'occupe de sa voiture.
Le mécanicien va au garage.
M. Dupont veut visiter les cathédrales.

3 Phrases à compléter

MODÈLE

Pour aller à la poste, il faut dix minutes **à bicyclette.**

Pour aller à Nice, il faut une nuit...
Pour aller à Nice, il faut deux jours...
Pour aller à Nice, il faut une heure et demie...
Pour aller à la plage, il faut dix minutes...
Pour aller à la plage, il faut une heure...

4 Phrases à transformer

MODÈLE
> J'arrive à la gare, je demande un taxi.
> **Quand j'arriverai** à la gare, **je demanderai** un taxi.

Le feu est rouge, **je m'arrête.**
Je vais à Nice, **je prends** la nationale 7.
Je passe à Vézelay, **je visite** la basilique.
La voiture ne peut plus rouler, **je la fais** réparer.

5 Phrases à transformer

MODÈLE
> Il ne faut pas vous arrêter!
> **Ne vous arrêtez pas!**

Il faut être gentils, mes enfants!
Il faut vous intéresser aux cathédrales!
Il ne faut pas oublier mon adresse!
Il faut rendre service aux autres!

6 Retrouvez la phrase exacte

1. M. Dupont est arrêté   ◯ par le train

2. Il y a une cathédrale   ◯ au bord du trottoir

3. La société loue des voitures   ◯ jusqu'à la gare de Lyon

4. M. Dupont prend un taxi   ◯ sans chauffeur

5. La famille Dupont arrive
   à Nice   ◯ au feu rouge

6. M. Dupont range sa voiture   ◯ tous les 50 kilomètres

7. Mme Dupont   ◯ est plus jolie que la nationale 6

8. La nationale 7   ◯ est au garage

9. La voiture de M. Dupont   ◯ a parlé à son mari

Une villa en location p. 64

1 Posez la question

MODÈLE

M. Dupont a loué une villa.
Pourquoi M. Dupont **a-t-il loué** une villa?

Il faut un tableau de service.
Jacques inscrit une assiette sur la liste.
Mme Dupont n'a pas le temps.
Les Dupont ont une villa en location.
La pendule fait du bruit.
Mme Dupont n'est pas à l'aéroport.

2 Donnez la phrase de sens opposé, en remplaçant les verbes en gras par d'autres verbes

L'avion **part.**
Les passagers **montent dans** l'avion.
Les passagers **descendent de** l'autobus.
L'autobus **arrive.**
Voulez-vous **allumer** votre cigarette?
La pendule **est arrêtée.**

3 Phrases à transformer

MODÈLE

Mettez la voiture au garage.
a/ **Mettez-la** au garage.
b/ **Je vais la mettre** au garage.

Allez chercher M. Dupont à l'aéroport.
Conduisez Mme Dupont à Tourettes.
Inscrivez M. et Mme Dupont sur la liste.
Téléphonez à M. Dupont.
Téléphonez à Mme Dupont.
Téléphonez à M. et à Mme Dupont.

4   Phrases à transformer

MODÈLE
      Nous recevons le journal, nous le lisons.
Quand on reçoit le journal, **on le lit.**

Nous avons une chaise cassée, nous faisons attention.
Nous ne pouvons pas venir vous chercher, nous vous téléphonons.
Nous cassons une assiette, nous l'inscrivons sur la liste.
Nous allons chez le boulanger, nous faisons la conversation avec Simone.
Nous entendons les cigales, nous sommes heureux.

5   Phrases à transformer

MODÈLE
      J'allume une cigarette, **puis je bois** mon café.
J'allume une cigarette **avant de boire** mon café.

Elle fait un drôle de bruit, puis elle sonne.
Je réfléchis un instant, puis je parle.
Le facteur prend un verre de bière, puis il part.
M. Dupont paie le chauffeur, puis il prend sa valise.
M. Dupont arrête la pendule, puis il se couche.
Mme Dupont conduit ses enfants à la plage, puis elle va chercher son mari.

6   Retrouvez la phrase exacte

1. Jacques a cassé une assiette   ○ qui fait du bruit

2. Dominique peut aller à la plage   ○ à pied

3. M. Dupont arrive   ○ tous les jours

4. Dans la chambre, il y a une pendule   ○ à fleurs

5. L'avion de M. Dupont   ○ n'a que trois pieds

6. La table de la cuisine   ○ atterrit à Nice

7. Le facteur a soif   ○ à cause de Simone

8. Jacques va chez le boulanger   ○ parce qu'il fait chaud

Table des matières

Dessins de Jacqueline Raulet.

Imprimé en France — IMPRIMERIE HÉRISSEY, Évreux Eure - Nᵒ 33119
Dépôt légal 7545-10-1983 — Collection Nᵒ 01 — Édition Nᵒ 11

 15/2846/2